Quero minha mãe

Adélia Prado

Quero minha mãe

8ª EDIÇÃO

EDITORA RECORD
RIO DE JANEIRO • SÃO PAULO

2025

Cip-Brasil. Catalogação-na-fonte
Sindicato Nacional dos Editores de Livros, RJ.

P915q Prado, Adélia, 1935-
8. ed. Quero minha mãe / Adélia Prado. 8. ed. – Rio de
       Janeiro : Record, 2025.

ISBN 978-85-01-06396-0

1. Novela brasileira. I. Título.

05-3172

CDD 869.93
CDU 821.134.3(81)-3

Copyright © Adélia Prado, 2005

Projeto gráfico: Regina Ferraz

Texto revisado segundo o novo Acordo Ortográfico da Língua Portuguesa

Todos os direitos reservados. Proibida a reprodução, armazenamento ou transmissão de partes deste livro, através de quaisquer meios, sem prévia autorização por escrito.

Direitos exclusivos desta edição reservados pela
EDITORA RECORD LTDA.
Rua Argentina 171 – Rio de Janeiro, RJ – 20921-380 – Tel.: 2585-2000

Impresso no Brasil

ISBN 978-85-01-06396-0

Seja um leitor preferencial Record.
Cadastre-se e receba informações sobre nossos lançamentos e nossas promoções.

Atendimento e venda direta ao leitor:
sac@record.com.br

EDITORA AFILIADA

De fato, és bem filha de tua mãe

Ezequiel, 16: 45

Comecei a gargalhar no meio da madrugada. Um ataque bárbaro, inesperado como o que me tomou debaixo do chuveiro, depois da estúpida discussão com um autodenominado ateu, um gênio da minha escola, faz muitos anos. Pagava a admiração de Águeda por mim, fazendo o que ela queria, no caso, um espetáculo entre a beata e o livre-pensador. Patético. Agora ria de estupefação, cansaço e iluminada ignorância, pois não me escapava o belo ritmo: endocarcinoma epitelial maligno. Não era possível que me dissesse respeito. Por confiança genética, nunca teria câncer.

Gago de medo o homem fora ao dentista que, para distraí-lo e trabalhar em paz, enquanto lhe metia o boticão, metia-lhe também uma agulha na popa. Que raiz funda, doutor!

— Viu só? E exibiu-lhe o molar.

Pois foi desta anedota ingênua que me lembrei naquela madrugada, quando não me aguentava mais de chorar e ter medo. Haveria um caminho. Era impossível rir daquele modo, de minha própria sorte. Decidi que devia a algumas pessoas o comunicado da minha sina. Precisava também pedir orações. Começando pelos parentes, fiz uma lista. Podia ter deixado de fora a Cleonir do Januário, sempre me tratando com acidez, sempre me desengraçando com palavras pontiagudas. Moveu-me decerto a estupidez, disfarçando de humildade meu orgulho ferido: olha aqui, Cleonir, você é um limão rançoso, mas venho te contar, eu, que não sou rançosa e desde criança sou amada e festejada por isso e por aquilo, estou com doença grave. Será o que aconteceu? Ela só disse oh! E dias depois me mandou uma mudinha de mirra. Tudo esquisito, por que mirra? Seu óleo precioso não é para embalsamar? "Ela me unge para a sepultura", ó Cristo, era de gelar, eu transpirava medo. Admiro quem diz eu não perdoo, parece forte e sem culpa, parece da lei mosaica, o próprio Javé vingando-se, humano como um chefe tribal. Nasci perdoando, perdoo fácil, guardo tão bem segredos que os esqueço. O que me impediu ter sido uma criança como o menino Ivã do filme russo? Careço de um perfil, careço tanto, pareço um cristão-novo, batizada, continuo querendo cortar cabeças. Mas, ainda que mal, amo Jesus Cristo. Ainda na bruma uma ideia, um esboço de ideia parece importante: eu também sou forte, também não perdoo, só que a mim mesma, não me amo, não me protejo, não tenho pena de mim. Por isso fui contar à Cleonir o que Deus me pedia, por isso ofereci a cabeça à sanha da predadora. Tenho, sim, um perfil, minha vida tem um roteiro, *A infância de Olímpia*, formo com os terráqueos, tive câncer, descansei em minha própria fraqueza.

Abel me chamou para andar à toa, na verdade queria encontrar o Diniz. Tranca até no portão. Entortamos pro apartamento do Heleno. Com a Brígida em Goiás por um mês, ele sozinho estava muito sem graça. Tossi pro Abel e fomos pra casa da Joana. Só a luz da sala acesa, ela, o Tim e a Margarida vendo televisão, Joana de cara assustada. O que é mais feio, olhar obtuso, morto, ou medroso? Sentia o mesmo que eu, arrepios tipo 'a morte passou' e pinicadinhas no peito. A Graça também está assim, ela falou. Então nós três com sintomas iguais? Fiquei mais aliviada, com certeza captávamos sofrimentos do inconsciente coletivo e devíamos rezar como os primeiros cristãos aguardando o apocalipse. Falei da oração mas omiti o inconsciente, Joana iria enfadar-se, só precisava de companhia e conversa boba. Me lembrei com saudade do professor de metafísica. Nas grimpas da abstração pedia um café e nos devolvia ao genérico de nossa necessitada condição, um homem humilde. Minha própria doutora não me fez conferência ao pânico: Olímpia, 'a glória de Deus é que o homem viva'. Achei legal ela saber a máxima de um santo. Costumam ser meio ateus os 'psis', quando muito concedem-se um agnosticismozinho, a maioria para fazer pose.

A Ivonete está quase gritando: 'Ai, Senhor, liberta o coitadinho.' Entrou pela porta da cozinha e se perdeu atrás da geladeira, aprendendo a voar, o filhote de passarinho. A mãe, louca, piando em volta e trazendo comida, sem sucesso, uma zoeira os dois. Abel arrastou a geladeira e pôs o filhote na grama, a mãe veio doida atrás e os dois sumiram. Graças a Deus, falou a Ivonete, como é que tem gente que não olha os filhos, se até bicho-mãe cuida da cria.

De madrugada, mais assustada que o filhote e sem outra providência à mão, tomei vinte gotas de mulungu. Acordei boa, sol no céu e na alma, um sol cordial, palavra com *pedigree* visível pro bem e pro mal. Fico agitada quanto a 'desconforto pré-cordial', poética de bulas. Conheci a palavra lírica e doce, dulcíssima. Contra a maçada das gripes, meu pai, ele mesmo, ia atrás de flores de mamão, camará, gervão, e fazia o cordial, o açúcar grudando no fundo da caneca. Quando Naomi aprendeu a fazer licores, ficavam tão bons que lhe sugeri um nome: *laetitia cordis*. Ficou só o nome, cansou-se e inventou um bombom de gergelim de excelência ainda sem nome. Ia dar dinheiro. Esperava para hoje o telefonema de um sujeito e fiz o que pretendia, ser cordial com ele: olha aqui, Átila, eu não vou fazer o que me pediu, porque me sinto usada, desrespeitada e não negocio, não pechincho, não converso mais sobre o assunto. Foi uma resposta cordial, pois do fundo do coração é que me saíram as palavras. Minha fome até aumentou quando pus, bem devagar, o telefone no gancho.

O homem pôs o chapéu e saiu. A mulher pegou a sombrinha e saiu, que antiguidade! Usava-se muito sombrinha e chapéu. Padre ainda adora guarda-chuva, resquício quase canônico das batinas de antigamente. Quando nos casamos, Abel tinha um sobretudo e um chapéu do mesmo tecido, composição alinhada, muito bonita, virava um artista vestido pra me matar. Não tenho um retrato dele com a roupa. Onde foi parar? Com certeza deu para algum pobre, por influência minha, que só agora me dou conta de minha enorme pobreza. Tantas coisas gostaria de recuperar, a aliança de minha mãe, um anel fino — oitavado, como dizia o pai —, um cordãozinho com um pingente em forma de livro, um brilhantinho na capa, um anel que meu avô me recomendou derreter e fazer o anel de formatura. Chega a doer. Preciso curar-me, colocar meus tesouros em outro lugar. Será que a mãe gostava de joias? A única, a única mesmo era a aliança oitavada. Não tinha relógio, nem brincos, meu deus, mais despojada que uma clarissa no mosteiro. Só tinha os olhos verdes, o belo corpo e a alma aterrorizada de ir parar no inferno. Eu comprei um pingente pelo preço do salário da Ivonete, nem por isso sinto que vou danar-me.

Quando já estava doente e não sabia, comecei a me sentir suja, muito suja, com precisão de expelir uma coisa que figurava uma bola preta me empestando. Sentia como que um bicho grudado em minha nuca, me dobrando o pescoço. Sol e tempo bom não mudavam meu ânimo, era cinza sempre o tempo e o mundo, me sentia encardida, era ruim estar em mim, um fastio sobreposto a uma ânsia que me punha em pedaços sem serventia nenhuma. Parecia um demônio da raça dos imundos, a coisa grudada em meu corpo. Tem piedade de mim foi o que mais rezei, purifica-me, querubim, como a Isaías com o carvão ardente, lava-me com o hissope, Senhor, purifica-me, purifica-me. Meu coração aguentaria tamanho esforço para respirar? Alba me sugeriu fôssemos à Capela da Bênção, onde a Elza Mirtes impunha as mãos com grande resultado. Venci resistências fortes, a Elza Mirtes usava brincos enormes, o adereço me parecia inadequado para a tarefa extrema de tirar o bicho de mim. Mas fui. Alba é mesmo piedosa e quase chorava de me ver tão amarrada. A Elza Mirtes se admirou muito de eu aparecer, disse que a conversa seria ali mesmo, diante do Santíssimo. Tenho pânico, comecei, e uma tristeza encardida e grudenta, fui falando assustada com minha coragem de contar para a mulher, a quem apenas cumprimentava, meu sofrimento secreto. O que lhe aconteceu? Nada de especial, eu disse, só um medo enorme, só isto e uma aflição que não me dá sossego, está tudo bem em casa, filhos, marido. Fale o que lhe der vontade, o que lhe vier à cabeça, ela falou sem impostação.

Estou me lembrando de minha mãe, morreu num mês de setembro, a três meses da minha formatura no ginásio, cercada de travesseiros, os lábios muito roxos, puxando o ar, minhas tias, meu pai, meus irmãos em volta. Eu voltava da escola e, assim que abri o portão, pressenti o sinistro, o ruim da vida. O livro de reza ficou comigo, e tão alto quanto ela pedindo ajuda eu rezava por ela na hora em que a vida mais a horrorizava. Quando volta esta imagem, tenho a impressão de recuperar o que disse naquele momento, segundo tia Ceição: 'Olímpia, vai botar ao menos uma palha no pé, agora mesmo a casa enche de gente.' Me lembro do olhar dela, sem doçura, olhar de mando e medo, 'reza, Olímpia, reza, minha filha', a oração dos agonizantes. Fui tomada por grande susto e dificuldade, ali, diante da Elza Mirtes. Coitada da minha mãe, tinha tristeza de me ver descalça e a minutos de encontrar o julgamento divino cuidava para que não me vissem com os pés no chão. Com que roupa estava eu? Ainda de uniforme? De que tamanho era o meu cabelo? A Joana e a Graça como estavam? E meu pai? Eu rezava no livro, meu pai pedia perdão, as tias seguravam vela e crucifixo na mão de minha mãe. Era assim que se morria? 'Agora mesmo a casa enche de gente.' Que olhar era aquele? Onde guardei o livro, quando fechou os olhos e parou de arfar? Para qual lugar da casa eu fui? Alberto estudava com os padres em Coronas. Se não for prejudicar os estudos dele, ela disse pra tio Dan, pode ir buscar o menino, quero ver ele. Coitada de minha mãe, coitada, coitadinha dela, só um pote de ANTISARDINA, um santinho do Coração de Jesus com a letra dela atrás. Só isso, gente? Era muito crescida e me apropriei do que tinha de mais bonito, um 'mantor'. Ela o adorava, pelas muitas vantagens que oferecia, tampava qualquer trapo e lhe dava a aparência que merecia, mulher de nobres feições, mulher distinta. Fiquei sem o capote, meu pai entendeu de levar ele para a irmã de seo Narciso, muito mais precisada que nós. Coitada de minha mãe, coitada, coitadinha, era só o que eu sabia dizer. Você precisa perdoar sua mãe, a Elza Mirtes falou. Perdoar? É, ela errou com você, por isso, por aquilo, ia falando e eu só queria chorar de tanta compaixão por ela.

Cinquenta anos de sua morte e pela primeira vez me sentia a um passo de minha mãe, quase a tocava. Você deve vir aqui mais vezes, Olímpia. Abriu a Bíblia ao acaso e lá estava o texto lhe confirmando o aconselhamento. Chamou a Alba que aguardava fora da capela e as duas rezaram impondo as mãos sobre a minha cabeça. Saí muito aliviada, a sensação de um encontro com minha mãe, aliviada do bicho e da bola preta. Ia durar? Sei que a Elza Mirtes não é uma charlatã, apesar de Deus usar até caloteiros em nosso socorro. Por alguma razão não retornei. Mais tarde, quando encontrei minha querida doutora, ela não me recriminou, até concordou em muitas coisas com a Elza Mirtes. O que me levou a confiar nela foi ter me dito, antes da bênção, que passava trabalho com um neto muito descabeçado. Saber que não era do tipo felizinha me deu confiança. Não era uma pregadora de televisão maquiada e sorridente, encara que a vida dói. Quando Alberto chegou com tio Dan, a mãe já estava no caixão, barriga muito alta, o neném não chegou a nascer.

Quando do meu casamento, já tinha perdido o hábito de rezar o "Pela vossa pura...", a cada uma de três ave-marias. Rezava convicta de jamais deixar de fazê-lo. Pois deixei, um diabo soprou-me sobre 'devoções menores', por que não ia direto a Deus? Nossa Senhora, não, Olimpinha, você tem paladar forte, saúde para altos voos, deixe de comer açúcar. Desertei da mãe de Deus e fiquei órfã duas vezes. Quando nasceram meus filhos — que esta confissão me salve —, amamentei-os com gosto, cuidei muito da comida de todos, dei vermífugo, cálcio, vacinas, básica como um português de anedota. A alegria de quando ganhei a Singer dá a medida de meu projeto doméstico. Passava o dia na máquina, eu, de quem Martina vaticinava: quando casar, seu marido vai comer livro. Detestava me ver 'passando folha', queria me ver passando vassoura. Pois fui e sou boa dona de casa, dava e dou notícia de gasto de óleo e sabão. Abel nunca reclamou da minha comida, pelo contrário. Busquei minha meta, meus filhos terão bons dentes, comerão o pão com o suor do rosto, como meu pai e Abel, serão cristãos fervorosos e tementes a Deus, só muito velhinhos morrerão e irão para o céu, lá, sim, lugar de demasias. Por aqui nada de excessos, como está já está bom demais. O que dizia minha mãe, cumpri como sentença. Joinhas, brinquinhos de ouro, vestidinho rendado pras meninas me deixavam confusa, quase nua, exposta, fora da trilha batida pelas longínquas avós. Descobri tarde que Naomi adorava sandalinhas baratas das meninas da Emília, aos montes, de cada cor e moda que aparecia. Para ela e Bibia, botinhas fortes. Além de bonitas de verdade, duravam o triplo. Elegia a medula, o cerne, o perene, e de tal forma o fiz, que beirou o esqueleto minha parcimônia insana. Chamava supérfluo o que eram apenas doçuras, respiração mais leve, olhar despreocupado. Rotulei de preguiça o mel de merecidos ócios. Ó Deus, garantistes o perdão aos que não sabem o que fazem, a mim, portanto, perdão oferecido em vossa cruz, donde olhais para a jovem mulher que desprezava os sovinas, oprimida por leis interpretadas no medo. Desde mocinha ajudo moribundos a fechar os olhos. Você reza tão bonito, Olímpia, dá pra passar a noite com Vó Augusta? Piedosa, íntima de responsórios, da terrível beleza dos atos de contrição. Um ônibus tombou depois da ponte velha, todo mundo curioso, até se divertindo, e eu passando em um por um dos acidentados, concitando-os ao arrependimento, passando para cada um a senha da vida eterna. E era só susto. Logo bateram a poeira e nem um sanguinho, uma canela quebrada não se viu. Bom, mas um pouco frustrante.

Quando ajudei minha mãe a morrer, era a mocinha que escondia o coração aos arrancos, por causa dos engenheiros bonitos que na ferrovia em obras pediam água em nossa casa. Reza, filha, e toma conta da Joana. De nós todas, penso que a mais órfã é Graça, a mais maternal, a mais sábia, a que tem de nossa mãe apenas a imprecisão de um vulto. Mãe, quantas vezes te vi alegre sem ser por gosto da tristeza? Quando a senhora pedia meus lápis de cor, pegava-os de um jeito que eu queria esconder-me, fugir da sensação esquisita de prazer pagão desagradando a Deus. Só goze a festa em suas providências. Começou o baile? Já chega, dançar também já é demais. Eu, Graça e Joana fomos afetadas e, ainda que loucas pra namorar e casar, demoramos a nos tornar mulheres comestíveis.

Vai fazer cinco anos já da pequena mancha de sangue. Tive um susto esquisito, quase licencioso. Voltaria a menstruar? Dionélia teve a Salete aos cinquenta e três anos. Eu, com mais de sessenta, certamente um caso da medicina, 'mulher sexagenária engravida em inesperada e esplêndida primavera'. Exultava, recém-nascidos me tiram a razão, viro a mãe da doçura. Ridícula não fui, só patética, de qualquer jeito objeto de compaixão, o que recebi em medida bem calcada, uma compaixão acima de minhas fantasias mais delirantes.

Falei com a Graça do sangramento, ela ficou séria: já procurou a doutora? Já, pediu montes de exames, um muito chato, carece de internação e anestesia, mas acho que não preciso desta canseira, quero mexer com isto não. Se fosse eu, ela disse, fosse comigo... Acaba logo com isso, vou ao hospital com você. Já contou pro Abel? Esperei ainda muito, até que outro sinal vermelho me empurrasse sem demora ao que devia fazer. Graça foi comigo. Abel tinha saído para dar socorro aos meninos do Tim, que capotaram o carro na estrada de Azinheiras.

Vi na televisão paisagem do Nordeste. Lá o Brasil tem história, vira país antigo. Moramos no lugar mais bobinho de Minas, nunca acharam uma cerâmica, um ferro de senzala nesta minha cidade. Cheira a Deus a velhice dos recém-nascidos, cheiram a sarcófago, a eternidade, os adoráveis nenéns. A matéria é eterna? Ser é tão absurdo quanto não ser. Graça passa mal quando pensa em infinito. Diante de mistério tão avassalador, não sei onde pendurar este casículo. Abel me contou que estava atravessando o pontilhão da mina e cruzou com o Pardal que lhe implorou: oi, oi, deixa eu passar a mão no seu pinto, oi, oi, deixa, deixa, só um pouquinho, oi. Isto aconteceu e não pode ficar sobrando na história das civilizações, senão a engrenagem enguiça, o eixo da terra se inclina e o sentido último de tudo — o que interessa — se perde e aí, oi, oi, loucura, danação eterna, sofrimento inenarrável, palavra que meu pai adoraria, como adorava inabalável. Mudava-lhe o semblante. Meus exames estão ótimos. Estou disposta para um monte de coisas, escrever o que me cair da telha, trabalhar na catequese, viajar ao Nordeste — projeto mais remoto por causa do avião —, ao norte de Minas, a lugares antigos, escrever um auto onde precisarei de luzes vermelhas e comprar uma coisa de ouro para mim. É preciso dar graças. Os pobres? Sou eu.

Esta é uma tarde do mês de abril, diferente de seu arquétipo. Chuvoso, parece agosto e sua névoa poeirenta. Ganhei um vaso de monsenhores plantados em seis cores. É quase insuportável a administração do real, a realidade é horrorosa, como disse a Alba. Bem horrorosa, no sentido de formidável também. Pode-se dizer desastre formidável, expliquei isto ao meu pai e a ilustração para ele foi como se tivesse lido a *Barsa*. Quero parar no miolo desta flor com seu cheiro, à janela de nossa casa, com minha mãe viva, infeliz por eu não gostar de sapatos e não falar 'você', já com os peitinhos aflorando. Como doeu para ela tanto excesso. O mais lancinante de sua boca para mim foi: 'ô trem ordinário', seu olhar fosforescente. Nunca soube como me trespassou, era um xingo, ele mesmo ordinário, como não amola, vai dormir, vai tomar banho. Foi o tom, a vibração inusitada que me expulsou do amor. Senti-o como os bichos que pressentem catástrofes. Não correra à sua ordem de recolher a roupa do varal e ela enlouqueceu de raiva, estranha como se hoje eu chamasse 'mulher' a uma menina de cinco anos. Estou falando de minha mãe? Sou capaz de tantas coisas horríveis. Deus sabe de quem falo e me protege para que eu não diga, me perdoa, me poupa enquanto me castiga. A coragem de ficar alegre depois desta lembrança é agora minha única via de santidade. Sei que Abel me ama, algumas pessoas também têm amor por mim, mas qual mulher me ama? Só uma, uma só, a que entrega o filho a meus cuidados, sabendo que posso esquecê-lo no táxi, deixá-lo com sede e tomar de sua boca três quartos de sua comida. Queria ser um soprano do mais extenso fôlego, num teatro adequado pra cantar. Descobri, em dias como hoje, de fôlego difícil e desconforto pré-cordial, sou levada a desejos de cantar, cantar muito sem medir volume. Quando o faço, melhoro. Saio-me. O corpo me limita, a pele, a casa, o quarto, a roupa, os óculos, o sofrimento de dona Luizinha que não entende eu não comparecer às suas bodas de ouro. É ilusão voar de asa-delta, estamos todos retidos e em culpa, o maior de todos os limites. Só uma coisa não castiga, a nudez verdadeira, a que não se vende, porque ninguém compra a desolação, a terra arrasada de nossa impotência. É dramático só termos pelos na cabeça e nos lugares recônditos. Nada posso contra isso. Até o carteiro manda em mim, 'assina aqui, dona, senão o pacote fica retido no correio'. Sou uma retida. Voo muito nos sonhos. Como fluir e escapar à ferrugem? Dona Luizinha trouxe pessoalmente o convite, escrito a mão, ela e seo Manoel. Falaram do tempo, da horta, da barulheira do bar de mulheres ao lado da casa deles, da hérnia dele, da osteoporose dela. Meu espírito está preso à carne. Do homem das cavernas a esta constatação, meu espírito está preso à carne. Voo muito em sonhos. Creio na ressurreição dos mortos, aceito e confesso o absurdo que me salva.

Quando visitei Lulu pra lhe contar da doença, tinha dois quadros em sua parede, duas gravuras herdadas de casa de freiras, um para doar, *O Senhor no Horto* e *O Bom Pastor*. Me oferecia um, mas não queria escolher, eu também não. Havia decidido, seria um sinal de cura se me oferecesse *O Bom Pastor*, pois no Horto das Oliveiras eu já estava e queria sair, ganhá-lo significaria a morte. Falei com veemência, só aceito se for escolha sua, Lulu. O velho medo, a velha fraqueza, de não seguir o desejo. Lulu ficou tão alegre, pois lhe coube o de que mais gostava. Uma fresca torrente me inundou, animei-me a esperar o café. Nem tudo é um crocitar vaidoso, grande mão poderosa nos sustenta. O Bom Pastor pôs nos ombros sua ovelha mais fraca. Em alguns momentos somos reais.

Abel e eu estamos precisando de férias. Quando começa a perguntar quem tirou de não sei onde a chave de não sei o quê, quando já de manhã espero não fazer comida à noite, estamos a pique de um estúpido enguiço. Sou uma pessoa grata? Às vezes o que se nomeia gratidão é uma forma de amarra. Entendo amor ao inimigo, mas gratidão o que é? Tenho problemas neste particular. Se aviso: passo na sua casa depois do almoço, acrescento logo se Deus quiser, não sendo grata, temo que me castigue com um infortúnio. Bajulo Deus, esta é a verdade, tenho o rabo preso com Ele, o que me impede de voar. Como posso alçar-me com Ele grudado à cauda? Uma esquizofrenia teológica, eu sei, quando fica tudo confuso assim, meu descanso é recolher-me como um tatu-bola e repetir até passar a crise, Senhor, tem piedade de mim. Até em sonhos repito, Senhor, tem piedade de mim, é perfeito. Sensação de confinamento outra vez, minha pele, minha casa, paredes, muro, tudo me poda, me cerca de arame farpado. Coitada da minha mãe, devia estar nesta angústia no dia em que me atingiu: 'trem ordinário'. Com certeza não suportava a ideia, o fardo de ter-que-dar-conta-daquela-roupa-de-graxa-do-meu-pai, daquele caldo escuro na bacia, fedendo a sabão preto e ela querendo tempo pra ler, ainda que pela milésima vez, meu manual de escola, o ADOREMUS, a REVISTA DE SANTO-ANTÔNIO. Mãe, que dura e curta vida a sua. Me interditou um reloginho de pulso, mas não teve meios de me proibir ficar no barranco à tarde, vendo os operários saírem da oficina, sabia que eu saberia o motivo. Duas mulheres, nos comunicávamos. Tá alegre, mãe? A senhora não liga de ficar em casa, não? Posso ir no parque com a Dorita? Vai chamar tia Ceição pra conversar com a senhora? Nem na festa da escola, nem na parada pra ver eu carregar a bandeira ela não foi. Não dava para ir de 'mantor', porque era de dia com sol quente, gastei cinquenta anos pra entender. Teve uma lavadeira, a Tina do Moisés, que ela adorava e tratava como rainha. Sua roupa acostumou comigo, Clotilde, nem que eu queira, não consigo largar. Foi um tempo bom de escutar isto, descansei de vê-la lavando roupa com o olhar perdido em outros sítios, sentindo e querendo, com toda certeza, o que qualquer mulher sente e quer, mesmo tendo lavadeira e empregada. Tenho sonhado com a mãe tomando conta de mim, me protegendo os namoros, me dando carinho, deixando, de cara alegre, meus peitinhos nascerem e até perguntando: está sentindo alguma dor, Olímpia? É normal na sua idade. Com certeza aprendeu, nas prédicas às Senhoras do Apostolado, como as mães cristãs deviam orientar suas filhas púberes. Te explico, Olímpia, porque pode te acontecer na escola, não precisa levar susto, não é sangue de doença. Achei minha mãe bacana, uma palavra ainda nova que só os moleques falavam. Coitadas da Graça e da Joana, que nem isso ganharam dela. Morreu antes de me ensinar a lidar com as incômodas e trabalhosas toalhinhas. Ô mãe, mãezinha, mamãezinha, mamãe, e o reino do céu é um festim, quem escondeu isto de você e de mim?

Achei Alba na chácara, meio sofrida, o discurso era o mesmo, entusiasta, mas a voz, uns tons abaixo, sem chama. Parecia sofrer mais do que se dava conta ou admitia. Cuido de não achar isso ou aquilo, minhas próprias dificuldades me toldam a percepção.

Os milagres mudam o miraculado? Continuo tendo raiva, medo, preguiça de certas coisas, como antes da minha cura espantosa. Dobrada em duas, pedia à mãe de Deus, no já longínquo dia: Virgem Maria, seca meu útero doente, faz ele virar um fóssil, coisa mais seca ainda, se existir, quando abrirem minha barriga, se admirem os doutores do fenômeno. Em meio às vísceras sãs, a coisa seca sobrando, seca de não se reproduzir nela vida alguma. Assim que ficaram sabendo, Alba e Lulu vieram à minha casa por nove dias seguidos, suplicando comigo a minha cura. Vivi o que parecia ser uma preparação para a morte. Abel me tocava e meu coração reagia como quando pegou minha mão pela primeira vez, tão forte que assustou os cachorros da Durvalina. Passávamos em frente ao Armazém Brasil, faz mais de cinquenta anos. Morrer deve ser diferente do que se pensa, só existe a vida. De outro modo, como explico que, a dois dias de minha formidável operação, saí com a Graça para comprar umas necessidades e gastei bom tempo indecisa entre uma camisola com florinhas e outra com florinhas e borboleta, acredite, e pasme, fazia diferença. Meus chinelos novos encantaram Abelzinho.

Ivonete teve muita pena de me ver arrumando a mala para o hospital, confusa com a turbulência na rotina da casa: olha aqui, dona Olímpia, fiz maria-mole pra senhora, a senhora gosta e esta é de marca boa, num instante a massa tomou consciência e já deu pra cortar os pedaços. Então a massa é consistente, Ivonete? Desorientou-se e se pôs em guarda: nunca vi a senhora tão complexada. Você ainda não viu nada, Ivonete. Deus liberte a senhora, dona Olímpia. Graça ria e eu parecia normalíssima.

Lulu me trouxe mudas de viuvinha. Há anos não punha os olhos num ramo desses. O roxo, o perfume, a folha oleosa, o tempo em que tudo estava para acontecer trouxeram minha mãe de volta. Se parece com boca-de-leão, orquideazinha roxa, glamurosa melancolia. Que gratidão senti por ainda ter viuvinhas. Dá o ano inteiro, ouviu? É, Olímpia, é viúva alegre. Lulu havia me contado a última do Alcenir e eu viajava longe no detalhe dele chamar a Izaltina de bocetuda. Certas palavras me derrubam, fiquei com raiva da mulher, tratada assim e continuar passando a roupa dele, fazendo todo santo domingo molho pardo pro gorila, tão ansiosa, 'tenho que ir, Alcenir hoje tem reunião da Upac'. Então, tá. Bocetuda? Um míssil na minha cabeça faria menos estrago. Será que a Izaltina gosta? O pernóstico só exibe a neta de olho clarinho, só conversa com o genro formado. Devo descontar na minha preguiça do Alcenir uma questão de estética, de forma. Não é só por suposta virtude que quero castigar o homem. Debaixo desta barafunda de consciência grossa, fina, União de Pais Católicos, sacrifícios, descalabros, caras de pau e heroísmo anônimo, este cascalhal onde nos acotovelamos vestidos e compostos como humanos, há o que aproveitar. Trata-se de cascalho rico. Antes de Martinho Lutero, John Hus disse o que pensava sobre o assunto. Tudo é vasto e polifônico. Nua e crua, a verdade é peixe difícil de pegar, cada um acha um caco, um retalhinho dela reluzente. De serventia, mas caquinho, como os que providenciamos enfumaçados em chama de vela, indispensáveis aparelhos para ver sem perigo de queimar os olhos 'o formidável eclipse total do sol com visibilidade privilegiada no Brasil', em Urucânia, lugar desconhecido nosso, em Minas Gerais, que sorte! O locutor não perdia a chance apocalíptica de mostrar serviço. Outra igual só no suicídio de Getúlio Vargas, que também escureceu o Brasil. Vivemos a excitação dos primeiros cristãos esperando a vinda imediata de Cristo, levando a vida meio escoteiros, naquele ânimo feliz de tá bom mas ainda vai ficar melhor, naquele estado eufórico de acampamento e piquenique, um batente bom, até muito bom mesmo, fácil de aturar. Nós todos, meninada e gente grande, indo para as casas uns dos outros, nos ajuntando em grupos na rua. Sabe-se lá? De repente o mundo acabava mesmo, que delícia! A mãe falou assim: 'tererá' perigo de chover enquanto dura o eclipse? Pelo sim, pelo não, pelo eclipse em si mesmo, tirou a roupa do varal, fritou uns biscoitos e tocamos pra casa de meu avô, onde já estavam Tialzi, tio Dan, tia Ceiça com a filharada. Foi parecido com o fim do mundo, o sol foi sumindo debaixo de u'a mancha preta, e as galinhas começaram a chegar do mato procurando poleiro como faziam ao entardecer, tão escuro ficou que apareceram estrelas. Junto veio um frio, e a mãe passando mal precisou de chá e foi pra cama com cobertores. Só melhorou pra valer quando o sol foi de novo aparecendo e as galinhas provaram que estava tudo normal porque desceram dos poleiros. 'Sererá' que o eclipse vai gorar os ovos? Esta preocupação comezinha de nossa mãe trouxe de volta o cotidiano seguro. Foi transcendente. Não terereve perigo nenhum.

A mulherinha descendo a rua na minha frente e eu pensando: se fosse comer esta mulher, dava menos carne que o frango mais pesado, nada me convence de que tem mais de se comer que um frango. Ela com quarenta quilos e o frango com dois, ainda assim é mais descarnada. Parece bobo, mas um mergulho na banheira não descobriu princípios matemáticos? Um almoço da mulher parece dar apenas para umas quatro pessoas, do frango para umas oito, se duvidar, dez. Limpinha, durinha, sequinha, vende quiabos na calçada a mulher da roça no Brasil. Fui ao Peru uma vez e na volta tive depressão, por causa das múmias, uma delas com todos os dentes. Fiquei pensando no meu desaparecimento, no meu desvalor. Iguais, um grão de terra e eu. Visitar múmias é correr risco de desintegração, de pensamentos inusuais sobre pontos da doutrina, até ali inabaláveis. A validade deles periga, assim como a saúde média da nossa cabeça. Demorei uns dias para engrenar. Joana descobriu sozinha, sem nunca ter ido ao Peru, que se deve rezar pelos ancestrais. Tudo a ver com a minha viagem aos Andes, que me esmagou como a um piolho-de-galinha. Teve o lado bom, me senti parte de uma corrente avassaladora, objetivamente poderosa. Olhava tudo de fora e minha culpa diminuía, nitidamente percebendo minha condição de criatura. Eternas, água, montanha, pedra e eu.

Tinha vantagens não saber do inconsciente, vinha tudo de fora, maus pensamentos, tentações, desejos. Contudo, ficar sabendo foi melhor, estou mais densa, tenho âncora, paro em pé por mais tempo. De vez em quando ainda fico oca, o corpo hostil e Deus bravo. Passa logo. Como um pato sabe nadar sem saber, sei sabendo que, se for preciso, na hora H nado com desenvoltura. Guardo sabedorias no almoxarifado.

Alba acabou de fazer um curso de massagem e estreou em mim. Tem talento, dormi na cama dela, eu, a rainha da vigília, uma proeza e tanto. Está emagrecida, vincos ao redor da boca, olhos de febre. De insônia, ela disse, minha vontade é sentar numa pedra e ficar quieta pelo resto da vida, não pentear nem os cabelos, errei tanto com filho, a realidade é horrorosa, não estou aguentando nada de nada. Entendo por que o Cirilo matou o cachorro da mulher a pontapé, entendo, sim. Tomei birra de apartamento novo, tudo igual, os cômodos fazem quina, o que é isso, meu deus, não tem um cômodo certo, os banheiros com o mesmo barradinho decorado, me dá vontade de gritar, que bobeira é essa que deu no mundo? Tou rasgando papel, encho saco e mais saco de papel rasgado, só deixei no armário um prato e um copo pra cada um, minha gana é desentupir o mundo, embalagem de plástico me dá tontura. A última vez que fiquei assim igual a Alba, tive de tomar remédio forte. Como a Joana, ela também não conhece o Peru e descobre coisas, só fala em horror da realidade. É mesmo paralisante pro bem ou pro mal. Num momento da minha viagem, numa capela comum, Agnes começou a cantar, ao mesmo tempo frágil e firme, como se um fio de cabelo fosse um fio de diamante, um canto para a Virgem Maria, um louvor, num tom que pedia fôlego além das forças de Agnes, mas o canto não se quebrava e suspendia o instante. Éramos quatro pessoas, Antônio, já pronto para nos fotografar, saiu da capela. Ninguém falou nada. Víramos uma realidade, fendera-se uma cortina. Víramos o quê? Existíramos no que é. Conheci um belo ídolo dos incas, ídolo de grandes olhos a que chamavam, parece, O QUE VÊ. Ao Senhor Jesus chamamos nós O VIVENTE. Pagãos e cristãos, tememos e adoramos. Cuzco à noite, a cidade mais bela que já vi, suspendida no tempo por uma luz amarela. Ficar doente é um dos preços que se paga pela graça de ver. Alba também vai melhorar.

A pique de cair de labirintite, me apoiando discretamente onde podia, Lulu elogiou justo minha fortaleza. Nem vale dizer que falava de força interior, porque é esta mesma que me desfalece a qualquer reles sintoma. Fui dormir com muita tontura e dor de cabeça. Tive um sonho com meu pai e acordei perfeita, uma sensação de cura na minha alma.

Quando a gente casa a gente pode fazer tudo? Tudo o quê, minha filha? Tudo, uai. Seu ouvido de padre estrangeiro novo no Brasil não entendia o que era 'a gente'. Ficou falando na santidade do matrimônio, os conselhos me soando anêmicos e escapistas. Ia me casar com moço forte e escovado, muito diferente dos maridos da Upac que eu conhecia, agarrados na mulher como em tábua de naufrágio. Quando Silvinha chegou da lua de mel, cheia de olheiras, eu pensei, esta casou mesmo. Será porque era uma católica muito relaxada? Falavam que o marido, na primeira noite, rasgou a camisola dela todinha, ui. Sempre invejei os bárbaros vivendo segundo a carne. A Ivonete, quando tem brecha, me incita a aceitar Jesus, creio nele até o núcleo da última de minhas células, mas não segundo a Ivonete, que se priva até de bijuteria de camelô. Tanta contenção não combina com o filho de Deus, o que só obedecia ao Pai, que em minha fantasia de pessoa hoje mais esclarecida é uma usina, coisa de natureza não desobedecível. Sou cristã-nova, inclinada à cabala, gosto de Abraão fazendo filho com a escrava, de

Moisés legislador e assassino prostrando-se ante o Senhor dos Exércitos. Da diáspora à Nova Lei são quatro mil anos de deserto, tempo pra qualquer um se ilustrar um pouco. Numa coisa a Ivonete acertou, expedida como um raio sobre minha cabeça: dona Olímpia, a senhora está precisada é de um batismo no Espírito Santo.

Falei com a Graça, se quiser ganhar o concurso de canto, escolha música do tipo "Maria, o teu nome principia na palma da minha mão", esse júri da terceira idade adora padre cantor e não conhece gregoriano, vai perder a prova e nós o jantar de comemoração. Perdeu com honra. Está mudando bastante a Graça, resolveu botar brincos, mas está difícil de achar. Pudera, tem que ser microscópico, sem brilho, assim e assim. Um grão de arroz, se for de ouro amarelo, pra ela vira um sol, vai procurar até passar a vontade. Parece nossa mãe, parece eu antigamente, sapatinho baixo, roupa neutra, a discrição apertando, condensando, condensando até soar como grande trombeta.

Sonhei que devia escolher entre duas prendas. Alguém escolheu antes de mim e me sobrou um *manteau* branco e peludo com manchas cinza, muito alinhado, uma versão francesa do 'mantor' de minha mãe.

A Ivonete peleja há meia hora pra dar consciência à maria-mole de gelatina de uva, invenção minha para o Alberto comer. Sem açúcar vai ser difícil, ela disse. Grande penitência, eu acho, não poder com açúcar, enorme penitência. Lulu me trouxe lírios brancos, de mais não preciso para fazer silêncio, calar-me, submeter-me, abrir espaço. Um pensamento me ocorre: não sou condescendente porque nada tenho de meu. O que possuo me foi doado. A Ivonete continua lutando pra dar consistência ao doce, se me ouvir vai me achar como de outra vez, muito complexada.

Hoje faz cinco anos da minha páscoa cirúrgica. Tornei-me um pouco melhor, dona de uma nova dispensação quanto ao meu próprio sexo. O dentista, o clínico, o obstetra, venci minha antiga, arraigada e preconceituosa admiração pelo homem. Para minha alegria, encontro, a tempo de colonizar o novo território, confirmação de antiga suspeita sobre nosso papel no mundo. Fui salva pelas mulheres, espanto-me em percebê-lo. Graça, Joana, Lulu, Alba, doutora Bete, doutora Margot, Agnes, Elza Mirtes, a Cleonir, a Virgem Maria e agora minha mãe, que chega ao final da festa escolhendo vestidos e joias, a cara muito alegre em sonhos que se repetem. Como se a grande profundidade houvesse permanecido sepultado em mim, assomou, com meu pequeno calvário, um rosto paciente, o que se pode mostrar sem artifício algum e sem legenda se saberá: é um rosto feminino de mulher.

Olímpia, me cumprimentou a doutora ao telefone, rindo, profissional, quase não admirada. Alguém te operou antes de mim? Não devolvo o seu útero, mas nenhum vestígio do câncer encontramos. Vai ser feliz, mulher. Tal qual implorei. ...de quando abrirem minha barriga, Virgem Maria, se admirem os doutores do fenômeno: em meio às vísceras sãs, a coisa seca sobrando, seca de não se reproduzir nela vida alguma. Tal qual implorei.

Experimento a palpável misericórdia, a carruagem não vai virar abóbora, o vestido é meu e não preciso andar curvada para mostrar gratidão. Pode brinquinhos de ouro, curso de dança pode, vestido de pano macio, 'Olímpia, a glória de Deus é que o homem viva', obrigada, doutora, a cadeia abriu-se, o voo impossível acontece, o avião sobe por causa da resistência do ar, Abel se cansou de ensinar-me. Como se tivesse voltado do Peru na corrente cósmica, agora está minha mãe. Desenvolta e bonita cozinha para Jonathan, os olhos verdes realçados com rímel. Vou me casar com o seu consentimento. Meu pai exibe a cara do meu último sonho, reprovando um pouco por eu ter chegado tarde em casa, mas orgulhoso por ser a escolhida de um príncipe.

Já mocinha, olhava minha mãe limpar um frango, estava calma e doce. Descansou a faca na mesa, pôs a mão na minha cabeça e me falou ensinando como boa mãe: olha aqui, Pia, um frango bem picado, contando com os pés e a cabeça, dá vinte e um pedaços. Achei que éramos especiais, pois sendo então uma família de sete pessoas, cabiam a cada um três pedaços exatos. Minha mãe me quer.

Adélia Prado

Divinópolis – MG, 2 de abril de 2005

OBRAS DA AUTORA

POESIA

Bagagem, 1976
O coração disparado, 1978
Terra de Santa Cruz, 1981
O pelicano, 1987
A faca no peito, 1988
Poesia reunida, 1991
Oráculos de maio, 1999

PROSA

Solte os cachorros, 1979
Cacos para um vitral, 1980
Os componentes da banda, 1984
O homem da mão seca, 1994
Manuscritos de Felipa, 1999
Prosa reunida, 1999
Filandras, 2001
Quero minha mãe, 2005
Quando eu era pequena, 2006 (infantil)

ANTOLOGIAS

Mulheres & mulheres, 1978
Palavra de mulher, 1979
Contos mineiros, 1984
Antologia da poesia brasileira, 1994. Publicado pela Embaixada do Brasil em Pequim.

TRADUÇÕES

The Alphabet in the Park. Seleção de poemas com tradução de Ellen Watson. Publicado por Wesleyan University Press.

Bagaje. Tradução de José Francisco Navarro. Publicado pela Universidad Iberoamericana no México.

The Headlong Heart. Tradução de Ellen Watson. Publicado por Livingston University Press.

Poesie. Antologia em italiano, precedida de estudo do tradutor Goffredo Feretto. Publicado pela Fratelli Frilli Editori, Gênova.

Impresso no Brasil pelo
Sistema Digital Instant Duplex da Divisão Gráfica da
DISTRIBUIDORA RECORD DE SERVIÇOS DE IMPRENSA S.A.
Rua Argentina, 171 – Rio de Janeiro, RJ – 20921-380 – Tel.: (21)2585-2000